RATUS POCHE

COLLECTION DIRIGÉE PAR JEANINE ET JEAN GUION

❧

Ralette
et son chien

Ralette, drôle de chipie

© Hatier Paris 2009, ISSN 1259 4652, ISBN 978-2-218 -92946-5

Ralette
et son chien

Une histoire de Jeanine et Jean Guion
illustrée par Luiz Catani

Hatier
jeunesse

Les personnages de l'histoire

À Paul, notre petit créatif.

Tous les jours, Ralette et sa copine Lili font le tour du village au pas de course. On leur a dit que c'était bon pour la santé et que le **jogging** les rendrait encore plus belles. ₁

Ce matin, Lili a oublié de sortir de son lit, et Ralette est seule.

Elle court, traverse un petit bois et voilà qu'un chien la suit. Il trotte derrière elle en boitant. Il est sale et tire la langue.

Trouve comment Ralette a soigné le chien.

– A-ouh, a-ou-ou ! fait-il, ce qui veut dire *je n'en peux plus*, dans le langage des chiens.

Ralette s'arrête, se penche vers lui et lit sur son collier : *Ustule*. Elle le caresse et dit doucement :

– Alors, Ustule, tu fais du sport ?

Puis elle voit sa patte **blessée**. 2

– Oh ! pauvre chien. Viens avec moi, je vais te soigner.

Une fois chez elle, Ralette lui nettoie la patte et lui met un pansement.

Que fait Ustule dans l'histoire ?

Ensuite, elle lui donne à boire. Mais le chien s'en moque. Il gratte la porte du frigo : il a **faim**. Ralette prend une carotte et la lui tend.

— Tiens, Ustule, régale-toi.

Le chien **renifle** la carotte et tourne le dos.

— Si tu veux être beau, il faut manger des légumes ! dit Ralette.

Déçu, le chien saute sur le canapé et s'endort, **épuisé**.

Qui est jaloux du chien de Ralette ?

Ralette en profite pour aller faire des courses et acheter un paquet de croquettes pour Ustule. 7

Sur le chemin du retour, elle rencontre Raldo et Ratounet.

– J'ai un nouvel ami, leur dit-elle. Il s'appelle Ustule. C'est un amour de chien. Venez le voir.

– D'accord, dit Ratounet.

Raldo a l'air fâché. Il est jaloux : Ralette lui préfère un chien !

– Il est sûrement plein de puces, 8 ton Ustule, dit-il.

Raldo se moque d'Ustule. Que dit-il ?

Quand ils voient Ustule, Raldo et Ratounet rient aux éclats.

– Il est moche, dit Ratounet.

– Il a l'air idiot ! dit Raldo. On dirait les poils d'un vieux balai avec quatre pattes !

Ralette est **vexée**, mais elle ne dit rien. Elle met vite une **poignée** de croquettes du chien dans un bol, puis elle demande :

– J'ai des bonbons aux vitamines. Qui en veut ?

Quel est le mensonge de Ralette ?

Raldo se met un bonbon dans la bouche et le croque, mais il fait la grimace.

– Il a un drôle de goût. On dirait un bonbon au poulet.

– C'est spécial pour les sportifs, répond Ralette. J'en mange tous les matins.

Alors, sans hésiter, Ratounet et Raldo avalent les croquettes du chien. Ralette les regarde avec un sourire malin…

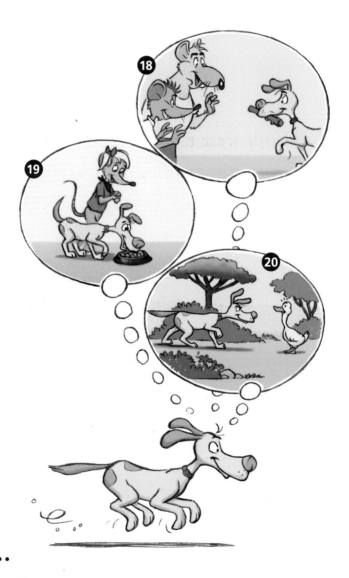

Trouve de quoi Ustule a surtout envie.

Ustule s'est réveillé. Il voit Raldo et Ratounet en train de manger ses croquettes, alors il grogne *au voleur !* ce qui donne : *Grrr, Grrr...*

Les deux copains **détalent**, suivis ₁₁ par Ustule qui aboie. Mais soudain, le chien hésite : il a envie de les rattraper, mais il a surtout envie de retourner chez Ralette pour manger des croquettes. Il ralentit et les deux copains entrent dans la **boutique** de ₁₂ Lili pour se mettre à l'abri.

Que raconte Raldo à Lili ?

– Que se passe-t-il ? demande Lili.

– On l'a **échappé belle**, répond ¹³ Raldo, tout essoufflé. Un lion nous courait après. Il voulait nous dévorer.

Et Ratounet ajoute :

– On n'a même pas eu peur ! Un lion, c'est juste un gros chat.

Lili est étonnée. On n'a jamais vu de lion dans les rues du village. Elle prend son téléphone et appelle sa copine Ralette pour tout lui raconter.

Quel chien Ralette amène-t-elle chez Lili ?

Un peu plus tard, Ralette arrive avec son chien.

– Lili, je te présente Ustule, le lion mangeur de gros bêtas.

– Ouah ! Ouah ! fait le chien.

Raldo rougit, **honteux** d'avoir eu peur d'un si petit chien, et Ratounet va se cacher derrière son copain.

– Ils ont mangé les croquettes du chien ! dit Ralette. Je leur ai fait croire que c'étaient des bonbons.

Les deux filles éclatent de rire.

14

Quel magasin donne une idée à Raldo ?

En entendant le mot *croquettes*, Ustule se met à grogner en regardant Raldo et Ratounet. Les deux copains ont peur et ils sortent vite de la boutique de Lili.

Comme ils passent devant la boucherie d'Albert, Raldo s'arrête.

– J'ai une idée, dit-il.

– Tu veux qu'Albert fasse de la **saucisse** avec le chien de Ralette ?

– Non, répond Raldo. C'est Ralette qui s'est moquée de nous, pas Ustule.

15

Qu'est-ce que Raldo donne au chien
de Ralette ?

Quand les deux copains reviennent chez Lili, Ustule se met de nouveau à grogner. Raldo lui tend vite un **bifteck** haché. 16

– Waouh ! fait le chien en remuant la queue pour dire merci.

C'est ainsi qu'Ustule est devenu le grand ami de Raldo et Ratounet. Ralette est furieuse car le chien ne veut plus ses croquettes.

Mais maintenant, les deux copains sont obligés d'aller tous les jours acheter de la viande pour Ustule !

1
faire du **jogging**
Courir pas très
vite.

2
sa patte **blessée**
Il s'est fait mal
à la patte.

3
il a **faim** (on
prononce : *fin*)
Il veut manger.

4
le chien **renifle**
Il sent pour
reconnaître
les odeurs.

5
déçu
Ustule est triste :
ce n'est pas ce qu'il
voulait.

6
épuisé
Très, très fatigué.

7
des **croquettes**
Des aliments secs
en forme de
boulettes, pour
les animaux.

8
une **puce**
Tout petit insecte
qui vit sur
les animaux sales
et suce
leur sang.

9
elle est **vexée**
Ralette n'est pas
contente car Raldo
a dit une chose
méchante.

10
une **poignée**
Ce qui peut tenir
dans la main.

11
ils **détalent**
Ils s'en vont très
vite.

12
une **boutique**
Un petit magasin.

13
on l'a **échappé belle**
On a évité le danger
de justesse.

14
honteux
Raldo est très gêné
d'avoir eu peur
du chien et d'avoir
menti.

15
une **saucisse** (on
prononce : *so-si-se*)

16
un **bifteck** (on
prononce : *bif-tè.k*)
Une tranche de
viande de bœuf.

Les aventures du rat vert

Super-Mamie et la forêt interdite

Les histoires de toujours

Ralette, drôle de chipie

L'école de Mme Bégonia

La classe de 6e

Collection Ratus Poche

Collection Ratus Poche

Les imbattables

Baptiste et Clara

Francette top secrète

M. Loup et Compagnie

Conception graphique couverture : Pouty Design
Conception graphique intérieur : Jean Yves Grall • mise en page : Atelier JMH

Imprimé en France par Pollina, 84500 Luçon - n° L59254
Dépôt légal n° 92946-5/03 - décembre 2011